Drôles
de fantômes

D'abord, on joue !

Pour découvrir le château hanté, relie les lettres de l'alphabet.

Le mot « photo » est caché dans le dessin, trouve-le !

Super !

Lis ces mots avec le son « fe ».
Avec un *f* ou avec *ph*, ça fait
toujours « fe ».

feu
fantôme
photo
pharmacie

fromage
phare
phoque
farine
téléphone

phrase
géographie
catastrophe
girafe

Et si on inventait une histoire
avec ces deux façons
d'écrire le « fe » ?

Le fantôme du phare veut

prendre le phoque en photo.

Mais le phoque se cache.

Alors le fantôme fait une photo

de la girafe. C'est fou !

Bravo!

Maintenant, on se détend!

fa phi fo fi pha fu pho

Relie chaque fruit à sa couleur

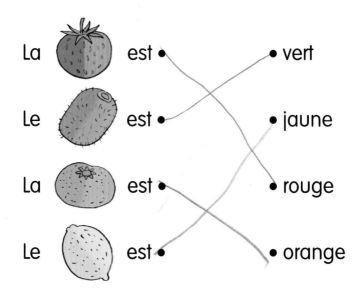

La [image] est • • vert

Le [image] est • • jaune

La [image] est • • rouge

Le [image] est • • orange

Quel méli-mélo.

Regarde l'image : Citron réussira-t-il à photographier Fleurette ?

Mets ton livre devant un miroir. Peux-tu lire le titre ?

DRÔLES DE FANTÔMES

Drôles de fantômes!

Allez, on souffle un peu !

clic clac cloc clic cloc clac cloc clac clic

Quelle histoire !

Citron arrive au . *château hanté*

Mais n'aime pas sa couleur jaune.

Farine

En plus, clic-clac ! s'amuse

citron

à prendre des . Farine s'énerve.

photo

Aïe ! aïe ! aïe ! Comment cela va-t-il se terminer ?

Drôles
de fantômes

Une histoire de Blandine Aubin,
illustrée par Florence Langlois

Au château hanté, Farine le fantôme est de mauvaise humeur.
Ce soir, un nouveau vient d'arriver.
Il s'appelle Citron et il est... tout jaune.
Drôle de couleur pour un fantôme !

Citron ouvre sa valise.
Il en sort un appareil
photo.
– Je vais visiter
le château,
annonce-t-il.

– Bonne idée,
disent les fantômes.
Après, on fera
un grand goûter !

 À ces mots, Farine grimace :
– Un goûter avec Citron ?
Pas question ! On dirait
une grosse banane. Moi,
je vais jouer !

11

Au château hanté,
Farine s'entraîne
à traverser les murs.
Soudain, bing,
il se cogne contre
une armure !

– Nom d'un boulet !
grogne-t-il, rouge de colère.

Flotti-flotta, Citron passe par là...
« Chouette armure ! se dit-il.
Je la prends en photo ! »
CLIC !

Au château hanté, Farine s'amuse
à explorer le grenier. Soudain,
oups, il tombe sur une énorme
araignée!

– Un monstre!
crie-t-il, vert de peur.

Flotti-flotta,
Citron passe par là...
« Chouette araignée! se dit-il.
Je la prends en photo! »
CLIC!

Au château hanté, Farine
joue un air de **cornemuse**.
Soudain, il aperçoit Fleurette,
son amoureuse secrète !

– Pouêêêt !
fait-il, rose d'émotion.

Flotti-flotta, Citron passe par là…
« Chouette cornemuse ! se dit-il.
Je la prends en photo ! »
CLIC !

Peu après, les fantômes
du château hanté se réunissent.
Citron leur montre ses photos...
– Tiens, dit Fleurette. Il y a
un fantôme coloré chez nous !
Regardez, on dirait une fraise...
Et là, un kiwi...

Flotti-flotta, Farine passe par là...

– Mais, c'est moi...
bafouille-t-il
en rougissant.

– Bien sûr, rit Citron.
Tout le monde a des couleurs,
même les fantômes blancs.
Ça me donne une idée pour
le goûter. Tu veux bien m'aider ?

Au château hanté, les fantômes **se régalent**. Au menu, tartes à la fraise, au kiwi et au citron !

Soudain, vers minuit, quelqu'un frappe à la porte.
Toc, toc, toc !

C'est une nouvelle... Elle ressemble à une étoile ! Drôle de forme pour une fantôme !

Fin

Tu as aimé ?

Oui ?

Chouette alors !

Allez, maintenant, on se détend !

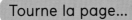

Tourne la page...

Comptine

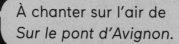

À chanter sur l'air de
Sur le pont d'Avignon.

Au château des fantômes,
quelqu'un sonne, quelqu'un sonne.
C'est un petit nouveau,
un bonhomme très rigolo.

Son prénom, c'est Citron,
ça t'étonne, ça t'étonne.
Il est jaune bonbon
et doux comme une chanson.

Mon ami en couleur,
tu me donnes, tu me donnes,
Mon ami en couleur,
le grand secret du bonheur.

À bientôt !

Les jeux sont réalisés par l'éditeur et illustrés par Florence Langlois.

© 2016 Éditions Milan
1, rond-point du Général-Eisenhower, 31101 Toulouse Cedex 9, France.
editionsmilan.com

Loi 49.956 du 16.07.1949 sur les publications
destinées à la jeunesse.
Dépôt légal : 3e trimestre 2016
ISBN : 978-2-7459-7891-2
Imprimé en Roumanie par Canale